Animales
Animals

MONTAÑA
ENCANTADA

Elisa Mantoni

Animales
Animals

EVEREST

parque
park

hospital
hospital

En esta ciudad viven muchos animales.

colegio
school

Many animals live in this town.

gato
cat

ratón
mouse

En este edificio vive...

*This building is
home to...*

cerdo
pig

jirafa
giraffe

mariquita
ladybug

lámpara
lamp

cama
bed

8

El gato está durmiendo.
The cat is sleeping.

juguetes
toys

libro
book

9

Mamá Cerda cocina una sopa.
Mother Pig cooks some soup.

La sopa es para sus ocho hijos.

The soup is for her eight children.

dos
two

tres
three

cuatro
four

seis
six

siete
seven

ocho
eight

sofá
sofa

La jirafa bebe zumo de naranja.
Ella está viendo la televisión.
The giraffe drinks orange juice.
She is watching TV.

balón
ball

partido
de baloncesto
basketball game

canasta
basket

English?

cuaderno de Inglés
English workbook

Ella está sentada en el sofá.
Ella está leyendo un libro.
She is sitting on the sofa.
She is reading a book.

mancha
spot

17

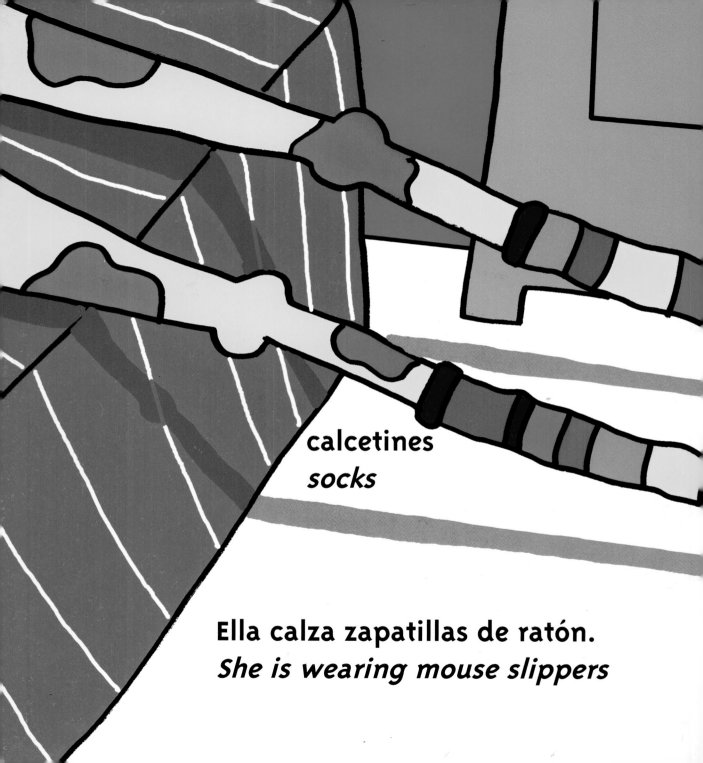

calcetines
socks

Ella calza zapatillas de ratón.
She is wearing mouse slippers

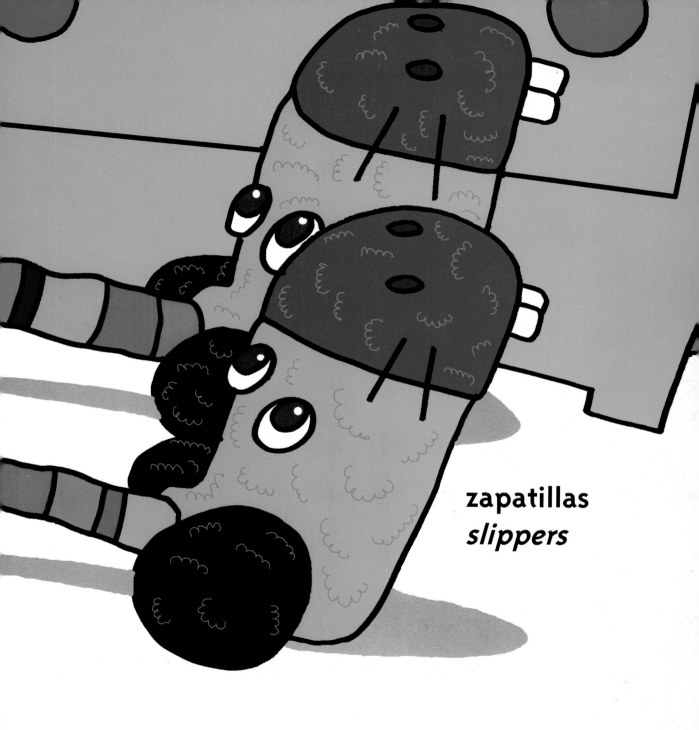

zapatillas
slippers

El ratón conduce un coche.
The mouse drives a car.

coche
car

semáforo
traffic light

camión
truck

carretera
road

plátanos
bananas

fresas
strawberries

El ratón va al supermercado.
The mouse goes to the supermarket.

pan
bread

latas
cans

galletas de limón
lemon cookies

Él quiere comprar...
He wants to buy...

galletas de frutas
fruit cookies

cereales
cereal

caramelo.
candies

arroz
rice

El elefante le ayuda.
The elephant helps him.

leche
milk

cola
line

ticke
ticke

El ratón paga con dinero en la caja.
The mouse pays with cash at the cash register.

conejos
rabbits

flores
flowers

césped *grass*

El perro corre en el parque.

The dog runs in the park.

32

camiseta *t-shirt*

balón
ball

Él juega al fútbol con sus amigos.
He plays soccer with his friends.

pantalón corto
shorts

equipo
team

La liebre se ríe porque la tortuga es lenta.
The hare laughs because the tortoise is slow.

mariquita
ladybug

tortuga
tortoise

caracol
snail

hormiga
ant

¡Jajajaja.

37

sol
sun

**En el mar, la tortuga es
más rápida que la liebre.**
*In the sea, the tortoise is
faster than the hare.*

agua
water

pez
fish

flotador
rubber ring

39

lazo
ribbon

Hoy es el cumpleaños
de la oveja.
*Today is the sheep's
birthday.*

calendario
calendar

JUNE
2
fecha
date
my
birthday

pared
wall

regalos
presents

Sus amigos le dan muchos regalos.
Her friends give her lots of presents.

puerta
door

amigos
friends

velas
candles

Happy Birthday

Ésta es una tarta de cumpleaños muy grande.
This is a very big birthday cake.

tarta
cake

crema
cream

fiesta
party

globos
balloons

Dirección editorial: Raquel López Varela
Coordinación editorial: Ana María García Alonso
Maquetación: Cristina A. Rejas Manzanera
Diseño de cubierta: Jesús Cruz

© Elisa Mantoni
© EDITORIAL EVEREST, S. A.
Carretera León-La Coruña, km 5 - LEÓN
ISBN: 84-241-7858-0
Depósito legal: LE. 1099-2005
Printed in Spain - Impreso en España
EDITORIAL EVERGRÁFICAS, S. L.
Carretera León-La Coruña, km 5
LEÓN (España)
Atención al cliente: 902 123 400
www.everest.es